# 줄기 뻗는 아이들

줄기 뻗는 아이들

발 행 | 2023년 12월 25일
저 자 | 군산산북초등학교 꿈오리반, 4-2. 꽃사랑반 아이들
펴낸이 | 한건희
펴낸곳 | 주식회사 부크크
출판사등록 | 2014.07.15.(제2014-16호)
주 소 | 서울특별시 금천구 가산디지털1로 119 SK트윈타워 A동 305호
전 화 | 1670-8316
이메일 | info@bookk.co.kr

ISBN | 979-11-410-6055-8

www.bookk.co.kr

# 줄기 뻗는 아이들

정하은, 우세영, 이효선 엮음

군산산북초 꿈오리반, 4-2 및 꽃사랑반 학생들 씀

# 선생님들의 한 - 마디

우리는 일상생활 속에서 다양한 경험을 하며 살아갑니다. 잠깐이지만 내려오는 눈을 보며 즐거운 경험을 할 수도 있고, 길 가다 발견한 작은 지렁이 한 마리를 보며 생명의 소중함을 경험할 수도 있습니다. 아이들은 시를 통해 이러한 경험을 자유롭게 표현합니다. 때로는 너무 사소해서 지나갈 수 있는 경험조차도 시의 주제가 됩니다. 일상생활의 작은 마디 마디를 놓치지 않고 표현하고자 하는 의지는 운율을 타고 시가 되었습니다.

이렇게 모인 작은 마디들을 엮어 「줄기 뻗는 아이들」 시집을 만들게 되었습니다. 한 마디, 한 마디가 모여 줄기가 되듯, 아이들의 시 한 마디가 모여 단단한 줄기가 되고 꽃을 피워 열매를 맺길 바랍니다.

*기죽지 말고 살아봐*

*꽃 피워봐*

*참 좋아.*

*- 나태주, '풀꽃3' -*

아이들을 사랑하고, 동시를 사랑하는

우세영 선생님

# 선생님들의 한 - 마디

아이들의 시를 엮는 작업을 하며 우리의 처음이 떠올랐습니다. 분명 많은 것을 약속하고 함께 다짐했는데 어느새 시간은 빠르게 흘러 흘러 헤어질 날만을 앞두고 있네요. 끝은 또 다른 시작이라지만 수많은 만남과 헤어짐에도 여전히 마지막은 그저 아쉽기만 합니다.

가르치는 일을 하는 교직에 있지만 오히려 아이들에게서 참 많이 배운다는 생각을 늘 합니다. 특히 올 한 해는 아이들과 유독 긴 시간을 보냈고, 그 많은 날들 속에서 아이들의 따뜻한 말과 행동에 유달리 함께 많이 웃었던 해였던 것 같습니다. 추억은 미화된다고들 하니 모두의 마음속에 올 2023년이 아름다운 하나의 페이지로 써내려가졌길 바랍니다.

우리의 날들이 튼튼한 밑동이 되어 아이들은 더욱 쑥쑥 자라고 단단해지리라 믿어 의심치 않습니다. 열심히 배우고 느끼고 성장해 나갈 아이들의 미래에 시집이 즐거웠던 추억을 떠올릴 수 있는 작은 매개가 된다면 더할나위 없이 기쁠 것 같습니다. 쑥쑥 뻗어나가 여린 잎도 틔우도 열매도 맺고 풍성한 꽃도 피울 아이들의 미래를 축복하며 첫 마디를 매듭짓고자 합니다.

*너를 위해*

*아침은 꽃을 틔우고*

*밤하늘은 별을 띄운다는 걸*

*너를 위해 나비는*

*다시 날아오른다는 걸 기억하렴,*

*그리고*

*언제든 다시 웃으렴*

*언제든 다시 사랑하고*

*있는 힘껏 행복하렴*

*- 안선유, '너를 위해' 중에서 -*

아이들을 사랑하고, 동시를 사랑하는

정하은 선생님

# 차 례

욕설

# 첫 번째 마디

## 꿈오리반

2023년의 4학년1반

양지아

우리 반은 오리 반 그래서 오리가 넘친다.
우리반은 기쁨반 그래서 기쁨이 넘친다.
우리 반은 행복반 그래서 행복이 넘친다.
우리반은 배려반 그래서 배려가 넘친다.
우리반은 1반 그래서 모든게 넘친다

너써 화작! 고마워

2023년4학년1반 화이팅!

ㅋㅋㅋ 갸 꺅ㅋㅋ 아이고배야ㅋ

고양이 애기

염은지

땅콩이가
애기를 낳았다.
이름이 사백이다.
너무 귀엽다.

(사백) (땅콩)

어쩔티비

고은별

4글자가
제일 킹받는다

# 감정

김민경

난 매번 다른 감정을 느낀다.
오늘은 짜증나고, 조금만, 사소한 거에도
바로 펑펑 울 것 같다. 어제는 기분이 좋거나 행복했는데,
슬프거나 짜증 난다 내 감정은 왜 그럴까?
사춘기인가? 나도 내 기분을 잘 모르겠다.
그냥 원래 나의 감정인 건가? 내가 내 자신을 모르겠다

# 생존수영

글: 권예문
그림: 권예준

첨벙! 첨벙!
더 세게! 더 힘차게!
어푸 어푸 오~ 추워
삑!! 자유시간이다.
예!! 까르륵! 까르륵!
얘들아 이제 가자! 난 그날
엄청난 고통을 느꼈다.

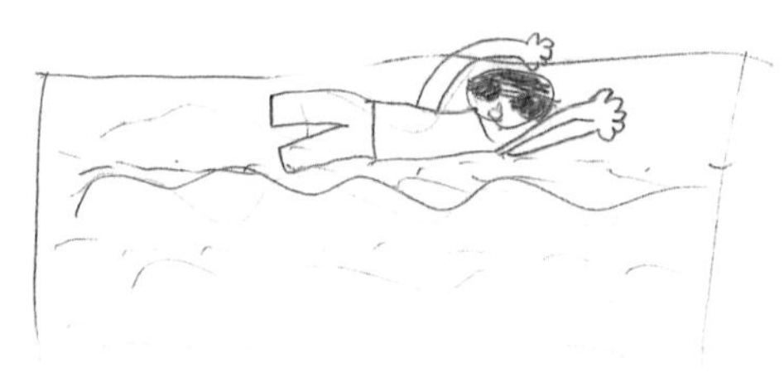

# 나의 꼬물이

장수풍뎅이 애벌레를 키운다
이름은 꼬물이다
어느날 움직이지 않고 가만히
벽에 기대서 있다

이것은 번데기가 될려는 신호다!
이때 시끄럽게 하거나 건드리면
바로 죽어서 창고에 넣어두었다

하루에 1번씩 와서 보니 점점
색깔이 진해지고 있었다

일주일 뒤에 꼬물이가 암컷으로
태어났다 너무 기뻤다

그런데 . . . . .

이제 이름을 바꿔야 할것 같은데?

인형뽑기
양지아
툭 한대건드니깐 찔끔
툭툭 두대건드니깐 찔끔찔끔
툭툭툭 세대 건드니깐 찔끔찔끔찔끔
잡으니깐 뽑았다.
인형 뽑기다!
입구
우옴

친구될 애들
멍지, 지아, 은별
저는 수업시간에 집중을 하지
않았습니다.
벌을 받고 있습니다.

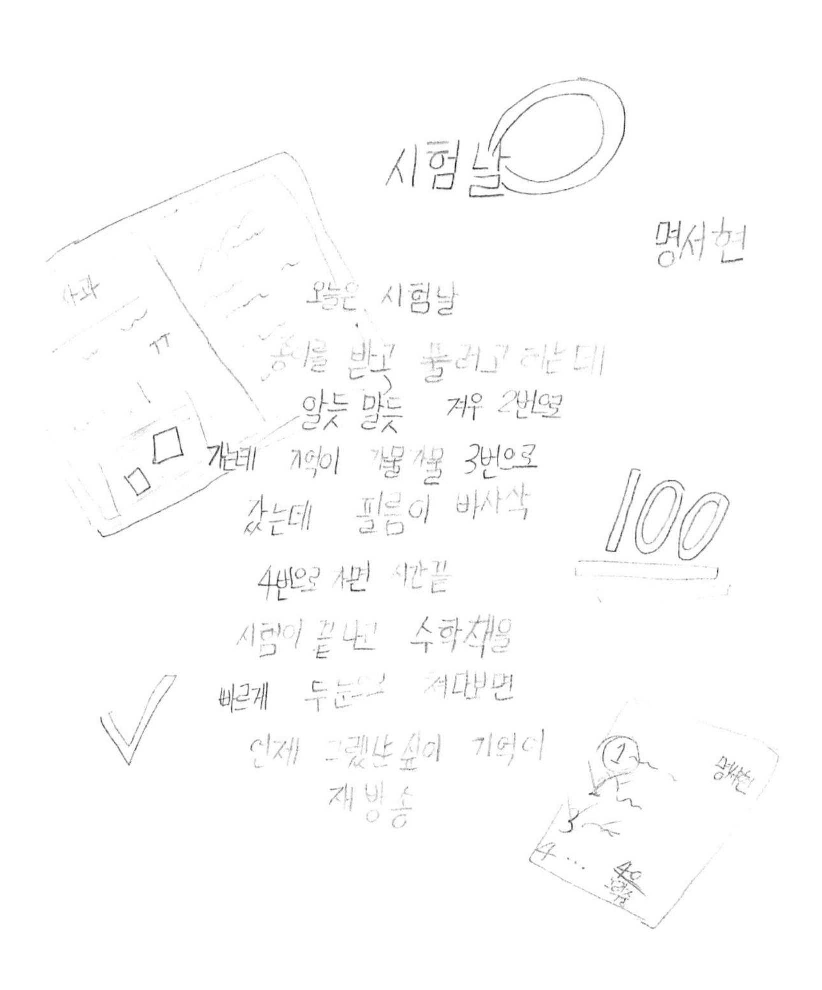
시험날
명서현
오늘은 시험날
종이를 받고 풀려고 하는데
알듯 말듯 겨우 2번으로
가는데 기억이 가물가물 3번으로
갔는데 필름이 바사삭
4번으로 가면 시간끝
시험이 끝나고 수학책을
빠르게 두눈으로 쳐다보면
언제 그랬냔 싶이 기억이
재방송
100

## 춘돌이 장보빈

할머니 집에 도착하면 춘돌이가 꼬리를 흔들며 반긴다
춘돌이와 동네 한 바퀴도 하고, 뛰어놀고
시냇가도 가면서 춘돌이와 더 친해졌다
1년 2년이 지나도 춘돌이는 우리를 기억한다
춘돌이의 원래 이름은 점돌이였다 그치만
점돌이가 할머니를 특히 좋아해서 할머니
이름을 따서 '춘돌이'라고 지었다

전학간 친구

장보빈

1학기가 끝나고 나와 7년째
친구인 민채가 전학을 간다.

괜찮아,,, 나는 친구 1명
더 있어.

7월 나스타가 전학을 간다
나는 이제 친구가 없어!

# 절규

장보빈

방문이 혼자열리고
빈집에서 귀신소리들리고
문이 그냥 잠기고
불이 그냥 꺼지고

왜 나한테한 이런일이
일어나는 걸까?

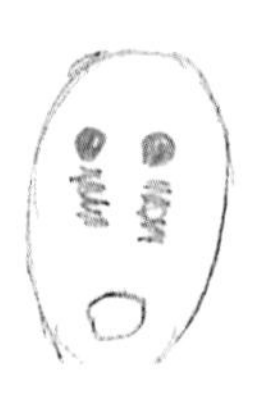

손씻

# 우리 반의 새로운 친구들

박시윤

우리 반에 새로운 친구가 왔다.
그 친구는 펭귄인형!
그 인형은 귀엽지만 이름이 없다.
친구들이 이름을 지어주는데 이상한 후보들이 나왔다.
엘리자베스 2세, 펭펭이..
이 친구의 이름은 뽀'로로'가 되었다!
몇 달 뒤 로로랑 똑같은 친구가 탄생했다.
이름은 '로로'의 뒤를 이어 '루루'로 정했다.
또 며칠 뒤에는 아기 펭귄 2마리가 왔다.
그 친구들의 이름은 '로라'와 '루라'이다.
이렇게 해서 우리 반 전학생 4명의 친구들이 탄생했다

## 탕후루

명서현

탕후루가 뭐라고...
이리저리 막대 쓰레기 그냥
과일 사탕 1개가 고작
3000 원 집에서
만들면 등짝 사 먹으려고 하면
나의 지갑이 Half를 외친다
탕후루를 사서 한입 앙~
이빨 우두둑...

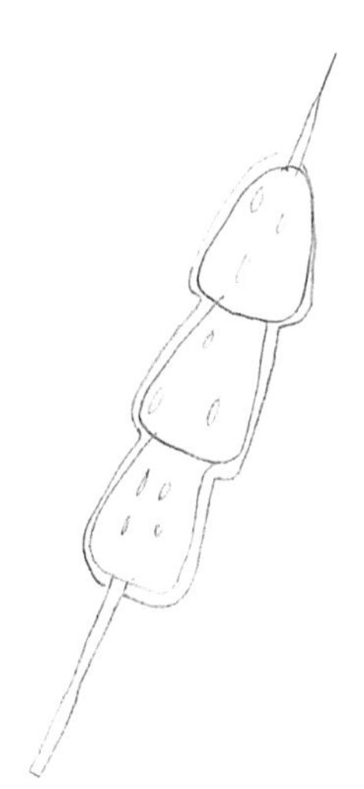

## 마시멜로

장보빈

차를 타고 벼를 다 수확한 논을 지나가고 있었다.
소한테 줄 볏짚을 모아둔 상자가 멀리서 보인다.

꼭 마시멜로 같다
핑크색, 민트색, 하얀색...... 마시멜로가 줄지어 있

나는 이 경험 때문에 논을 지나갈 때마다
습관적으로 침을 꼴깍 삼킨다.

# 울음소리

장명빈

내가 잘 때쯤
"으아옹" 소리가 들렸다.
가만히 들어보니 그건 고양이 울음소리였다
옆집에서 들려오는 소리였다.
그래서 벽에 귀를 바짝 대고 고양이 울음소리를
들었다.

근데……"어!"
"으아앙"
이건 고양이 울음소리가 아니고
아기 울음소리잖아!

# 월요일

염은지

태양을 피할 순 있지만
당신을 피할 순 없겠지

# 우리 집 햄스터

전예빈

우리 집 햄스터는
한 마리는 안 물고
다른 한 마리는 겁쟁이여서 문다.

겁쟁이는 살이 쪘다.
그리고 옆구리를 못만지게 한다.

겁쟁이
김푸딩

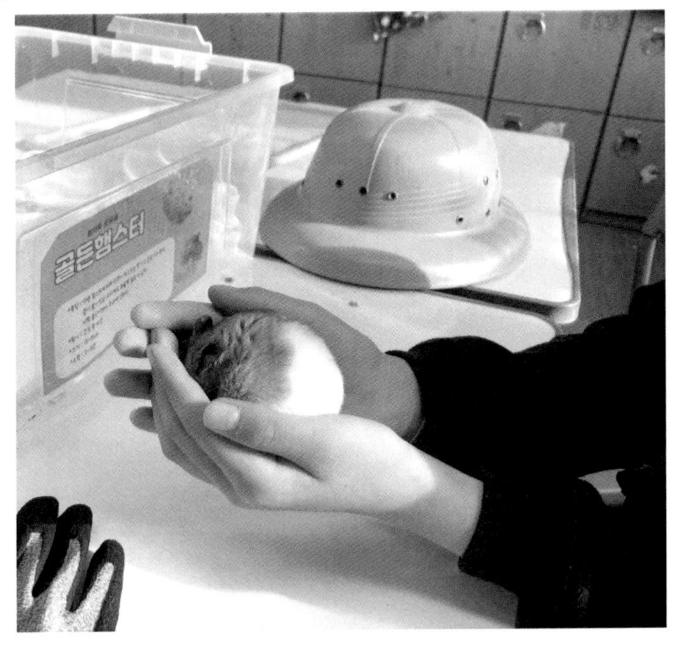

아빠
양지아

아빠 나 다 쳤어
잘했어
아빠 000이 나 때려
잘했어
다 잘했때!

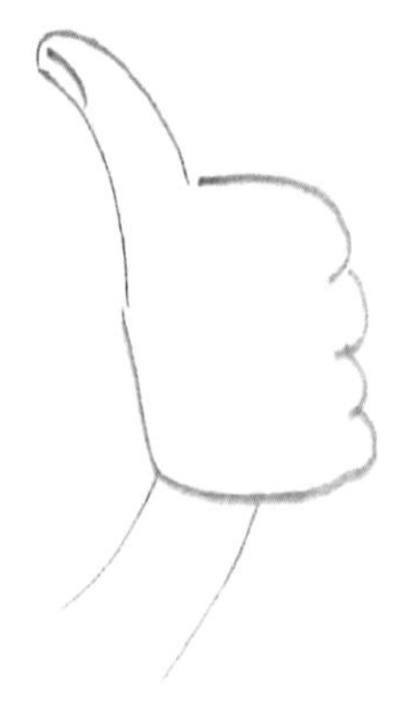

제목: 워터파크에서 있었던 일

이름: 오성택

나는 워터파크에 가서 큰데에 가고 싶었다
하지만 키가 안 된다 그래서
엄마만 슬라이드를 탔다 나는
엄마가 부러웠다

고은별

착한 친구
든든한 친구
내 편을 들어주는 친구
가끔 싸우기도 하고
욕도 하지만
모두 소중하고
개성있는 내 친구♡

# 김치

양지아

김치야
김~치

김치야
김치가 참 맛있어

김치야
김치찌개에
고기 좀 넣어줘

김치야
중국에게 뺏기지마
내가 지켜줄게!

*김치 : 김은지 학생의 별명

김치

# 친구의 카톡소리

박시윤

매일매일
친구에게 카톡이 온다.

아침에는
카톡!
친구야 우리 마라탕 먹을래?

점심에는
카톡!
친구야 우리 같이 놀이터 갈래?
아니? 나 숙제할거얌
알겠어..

저녁에는
카톡!
친구야 우리 내일 놀이공원 갈래?
니가 쏘는거야?
응!
그래 가자!!
알겠어 친구야 사랑해♡ 무서운거 많이 타자~
어..? 안돼~~~!!!ㅠㅠ

# 피구

전예준

삑!
큰 함성 소리 같은
시작음이 울렸다.

휘익휘익
2반 아이들은 피구 강팀이다.

첫 번째
2반 win

두 번째
2반 win

세 번째는 3점내기 였다.

아웃 소리와
함께 우리 팀은 2명 밖에 안남았다.

삐삐삐-!
우린
졌다...

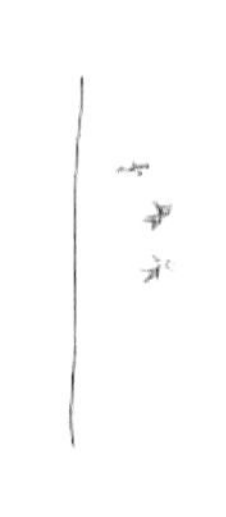

강아지
양지야
천사가 내품에 있다.
인형이 따로 없다.
꼬리를 살랑살랑 하다가
놀래키면 으앙 하면서 도망간다.
간식주면 자다가도 벌떡! 일어나
냠냠 먹고 쉬야 하고있어도 냠냠
밥 먹고 있는중에도 냠냠
씻고 있어도 우다다닥 달려와
냠냠

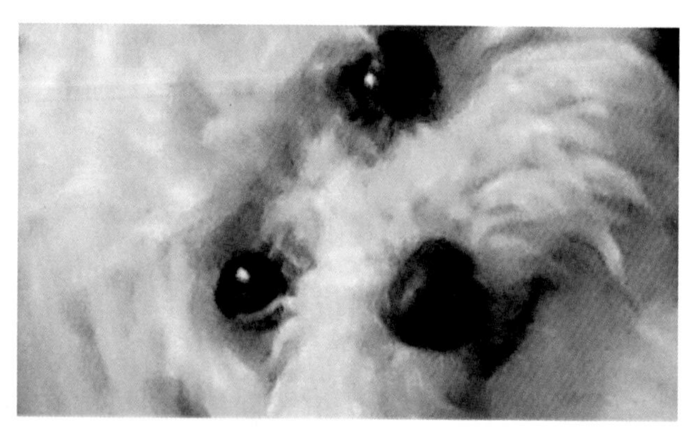

# 장수풍뎅이 수컷

**전예빈**

번데기를 받았다.
우화를 했다.
큰 집으로 옮겨줬다.
솔방울을 안고 있는 모습이 멋지다.

장풍이는 남들과 다르다.
날개가 벌어져 있지만
오히려 좋다.

조금 다르게 태어나서
빨리 세상을 떠나게 되었다.
그래도 무지개가 뜰 땐
장풍이가
인사해준다.

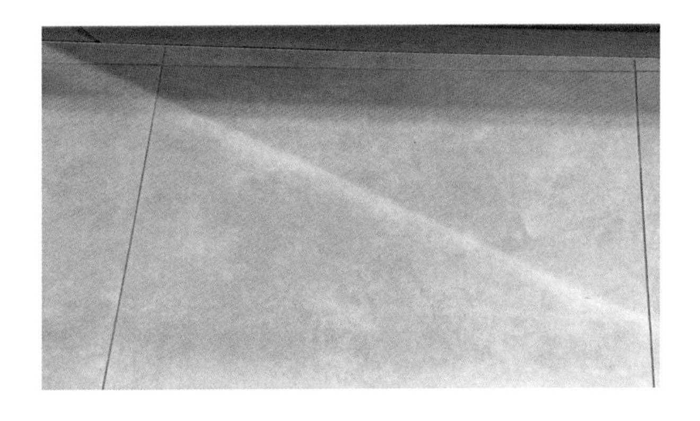

# 게임

김은지

친구들끼리는
알 수 없는 심리전 게임이 있다.
매일 매일 리더라고 불리는 아이에게
아등바등 메달리고 싸운다.
그리고 그러다 한명이 아웃된다.

리본 체조
염은지

내일 리본 체조
수.행.평.가.를 한다.
너무 떨린다.
노래는 Super Shy로
하기로 했다.
은별아 화이팅!!하자!!!

# 내 남자친구

**변서현**

우리는 비밀연애를 하고 있었다.
근데 내 남친 친구가
갑자기
"야! 너네 둘이 사귀냐?"
라고 했다.
나는 아무 생각 없이
"응!"
이라고 해버렸다.
그랬더니 그 친구가
창문을 열고선
"서현이랑 00이 사귄다~"
라고 말했다.
그래서 우린 어쩔 수 없이
공개연애를 하게 되었다.

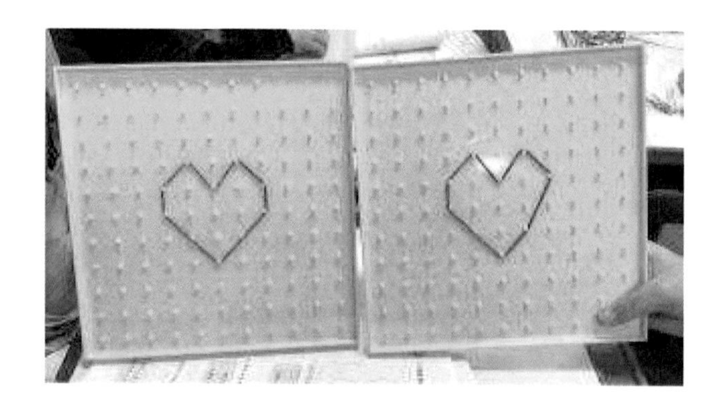

# 내 여자친구

이도협

내 여자친구는
엉뚱발랄

왜냐하면
춤추다가
노래하다가
축구를 한다.

그리고
맨날 카톡프로필을
업데이트 한다.

# 친구

김하민

친구야.
너는 나와 같은 년도에 태어나고
너는 나와 같은 학교에 다니고
너는 나와 같은 추억을 가졌건만

왜

너만 연애하냐?

## 나무

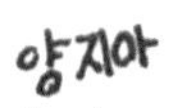

나무는 참 신기하다
봄이면 잎들이 돋아 나고
여름이면 나무그늘로 행복하게 해주고
가을이면 예쁘게 빨간색, 주황색으로 변하고
겨울엔 예쁜 트리와 낙엽 밟는 소리가 좋다
그리고 나무는 공기를 깨끗하게 해준다.
지구에겐 꼭! 필요한 존재다
나무야 참 고마워

# 지구

**신윤빈**

지구
우리가 사는 지구

지구
동물이 사는 지구

지구
식물이 사는 지구

지구
곤충이 사는 지구

지구
사람이 사는 지구

지구야 아프지마
우리 인간들이 많이 미안해

삼가 째째이의
명복을 빕니다
R.I.P

# 우유급식

장명빈

나는 우유급식 신청을
않했다.
근데 다른 친구들은
우유급식을 신청해놓고서도
우유를 안 먹는대
아니 아까운 우유는 생각도
안하고! 진짜 이건
환경오염의 원인이다.

# 쓰레기

신윤빈

인간도
동물도
식물도
싫어하는
쓰레기

그러니까
바닥에 쓰레기 버리지 마세요...!!!

# 수학

전예빈

난 수학이 좋다!
4학년 수학은 쉽다
유치원생 수준이다.
그래도 재밌다

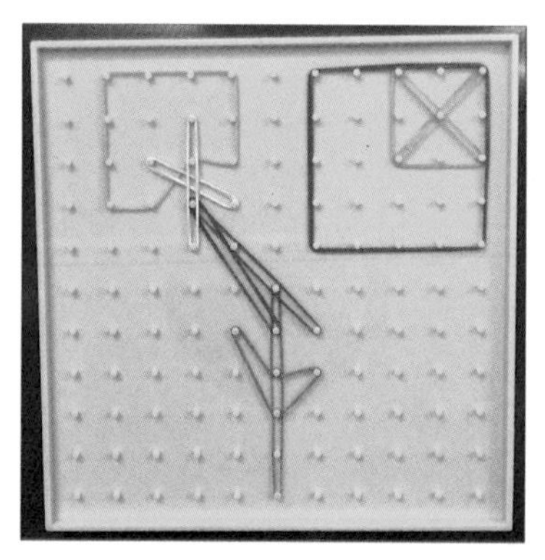

마니또

장보빈

친구들과 마니또를 했다.
기대되는 마음으로 종이를 펼쳤다.
어!……

나의 가족 명빈이가 종이에 적혀있었다.
'망했다. 어떻게 마음을 전하지?'
'그리고 나에게 잘해주는 친구는 누구일까?'

쉬는 시간에 친구들과 놀고 돌아와 보니 사탕이 놓여있었다

의심되는 친구가 있다.
다음날 학교에 와보니 또 다른 사탕이 있었다.
'와……. 너무 티가 난다'
'딱 봐도 OO이가 분명해'

마니또를 공개하는 날이 되었다.
내 예상이 딱 맞았다!

# 식물

전예빈

겨울이 다가오자
자연스럽게
봉숭아가 시든다.
그래도 죽지는 않았다.

요즘 물주는 것이 귀찮다.
학교에서는 괜찮은데……

# 헨젤과 그레텔

염은지

과자집을 만들었다.
지아랑 같이 협동하는데
너~무 배가 고팠다.

6교시가 되었다.
과자집 뿌셔 먹을 시간!!

먹다가
시간이 별로 없어서
조금만 먹었다 ㅠㅠ

# 귤

양지아

귤로는 뭐든 만들수있어

귤을 애완귤로도 만들수있지

눈코입 그리면 애완귤 완성!

애벌레도 만들수있어 동글동글 귀여워!

그치만 우리손도 노랗게 만들수 있지

내손도 노랗고 말이야. 어제 귤을 먹었거든.

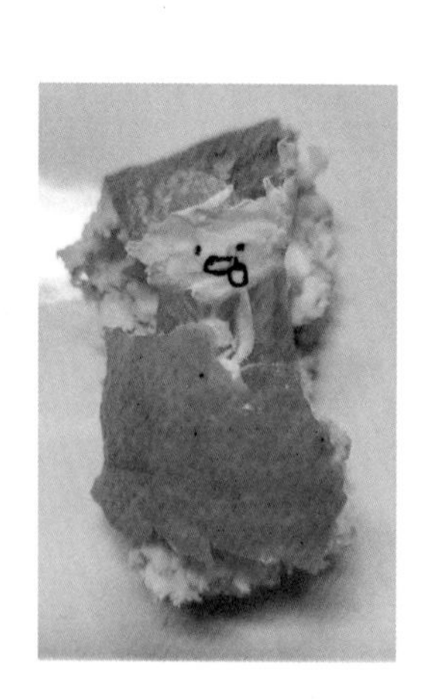

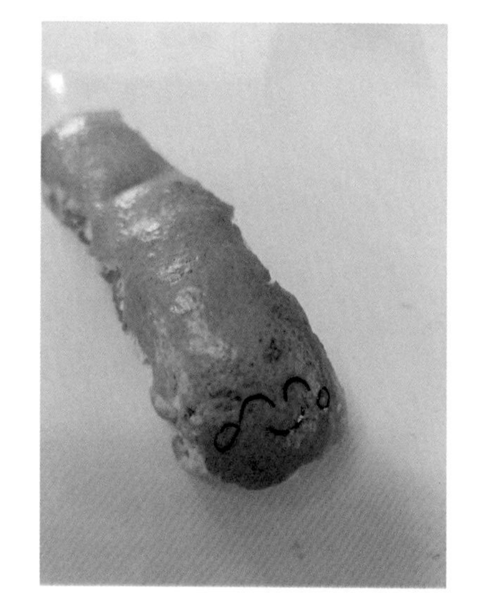

# 귤 껍질

염은지

오늘은 간식이 귤이다.
다들 한번쯤은 들어봤을
"먹을거로 장난 치는거 아니다"
근데 나는 말을 안 듣는다.
그래서 난 귤로 공벌레, 귤을
먹고 있는 사람 등등 만들었다.
재미 있었다.

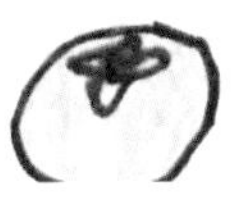

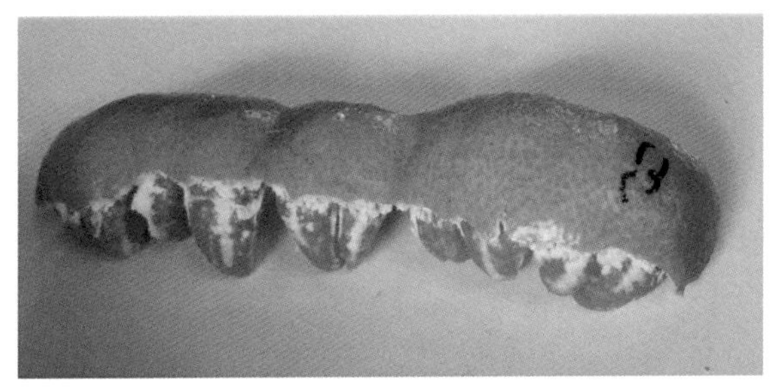

# 진로 체험 쇼콜라티에

양지아

수업을 듣고나면
초콜릿이 녹아 있고
치즈 볼과
마쉬멜로우와
막대과자, 프레첼에
초콜릿을 묻히고 나면
내 마음이 녹아 있다.

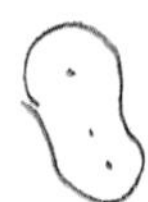

무손

염은지

학교 현관에
무손이 생겼다
어떻게 손가락이
6개지? 믿기지가
않아서 너무 웃기다

# 첫눈

양지아

분명 왔긴 왔는데
사랑은 안왔네...

# 학교

전예빈

두금거린 반
떨림 반으로 문을 연다.
불은 꺼져있고
조용하다.
나 밖에 없는 느낌으로 조용하다.
친구들은 있는데 조용하다.
선생님이 교실로 돌아오자
슬슬 시끄러워진다.

# 추억

고은별

지금 이 순간이
추억이 되는 날에
당신은
무엇을 기억하고 싶나요?

# 내 머릿속은 온통

## - '온통 비행기' 패러디

# 온통 랜덤뽑기 RPG

글, 그림: 꿈오리반 ( 김동수

내 스케치북에는 랜덤뽑기 RPG가 날아.

핸드폰에도

패드에도

랜덤뽑기RPG 날아.

핸드폰 맵에 는 언제나

내가 앉아 있어.

내 옆 에는 1성 비실이 도 앉고

1성 동굴거미 도 앉고

1성 도깨비 도 앉아.

오늘은 7성 비실이 앉았어.

난 랜덤뽑기가 좋아.

랜덤뽑기를 구경하는 것도

랜덤뽑기RPG를 그리는 것도

랜덤뽑기RPG 생각하는 것도.

커서 뭐가 되고 싶으냐고 묻지 마.

내 마음에는 랜덤뽑기 RPG

# 온통 댄스♡

글, 그림: 꿈오리반 ( 인경 )

내 스케치북에는 댄스 가 날아.

춤을 ~~에~~봐도

춤 ~~에~~춰도

댄스 날아.

댄스는 언제나

내가 앉아 있어.

댄스에는 '나'도 앉고

'민주'도 앉고

새봄이도 앉아.

오늘은 세명끼리 앉았어.

난 춤추는게 좋아.

댄스 구경하는 것도

댄스 ~~그리는~~ 추는 것도

댄스 생각하는 것도.

커서 뭐가 되고 싶으냐고 묻지 마.!

내 마음에는 오직 댄스밖에 없으니까

## 온통 허기워기

글, 그림: 꿈오리반 ( 김연준 )

내 스케치북에는 허기워기 날아.

집 에도

나 에도

허기워기 날아.

허기워기는 언제나

내가 앉아 있어.

허기워기에는 사과도 앉고

탕후루도 앉고

피카도 앉아.

오늘은 인드쥬 앉았어.

난 허기워기 좋아.

허기워기 구경하는 것도

허기워기 그리는 것도

허기워기 생각하는 것도.

커서 뭐가 되고 싶으냐고 묻지 마.

내 마음에는 허기워기

## 온통 포차코

글, 그림: 꿈오리반 ( 양지아

내 스케치북에는 포차코 날아.

1삐약이 도
2삐약이 도
3삐약이도 날아.

포차코와 삐약이젖은 언제나
내가 앉아 있어.

포차코 에는 1삐약이 도 앉고
2삐약이 도 앉고
3삐약이 도 앉아.
오늘은 1, 2, 3 삐약이가 앉았어.

난 포차코가 좋아.
포차코를 구경하는 것도
포차코를 그리는 것도
포차코를 생각하는 것도.

커서 뭐가 되고 싶으냐고 묻지 마.
내 마음에는 온통 포차코 밖에없으니깐

# 온통 그림

글, 그림: 꿈오리반 ( 고은별

내 스케치북에는 그림이 날아.

태블릿에도
소설 앱에도
그림이 날아.

그림은 내:
소중한 취미야.

그림에는 러프도
채색도
보정도
오늘은 커미션을 받았어.

난 그림이 좋아.
그림을 구경하는 것도
그림을 그리는 것도
그림을 생각하는 것도.

커서 뭐가 되고 싶으냐고 묻지 마.
내 마음에는 일러스트레이터와 그림 밖에 없어.

# 온통 장래희망

글, 그림: 꿈오리반 ( 오성택

내 스케치북에는 장래희망이 날아.

머리속에도
티비 에도
핸드폰에도 날아.

장래희망에 는 언제나
내가 앉아 있어.

장래희망에는 은행원 도 앉고
수의사 도 앉고
선생님 도 앉아.
오늘은 크리에이터 앉았어.

난 장래희망이 좋아.
직업들을 구경하는 것도
직업들을 그리는 것도
직업들을 생각하는 것도.

커서 뭐가 되고 싶으냐고 물어 봐
내 마음에는 장래희망 밖에없어!

# 온통 최연준

글, 그림: 꿈오리반 ( 박은지 )

내 스케치북에는 최연준이 날아.

머릿속 에도
무대 에도
내집에서도 날아.

최연준의 몸에는 언제나
내가 앉아 있어.

최연준의 몸 에는 내 친구 도 앉고
최범규 도 앉고
최수빈 도 앉아.
오늘은 내가 앉았어.

난 최연준이 좋아.
최연준 구경하는 것도
최연준 그리는 것도
최연준 생각하는 것도.

커서 뭐가 되고 싶으냐고 묻지 마.
내 마음에는 최연준이 미쳐 날고 있거든

# 온통 장수풍뎅이

글, 그림: 꿈오리반 ( 전예빈 )

내 스케치북에는 장풍이가 날아.

집 에도
밖 에도
나를 따라다니며 날아.

위에서 장풍이, 암컷이, 미니 장풍이, 왕령이가 위에서 나를 보고 있다고 믿을거야. 무지개가 뜨면 좋겠다. 왜냐하면 그럼 애들을 볼 수 있잖아

밑에서 는 언제나
내가 앉아 있어.

위 에는 장풍이 도 ~~앉고~~ 있고
왕령이 도 ~~앉고~~ 있고
미니장풍이 도 ~~앉아~~. 있어
오늘은 암컷이도 ~~앉았~~어. 친구들을 보려고 따라갔어

난 장풍이, 암컷이가 좋아.
장풍이를 구경하는 것도
암컷이를 그리는 것도
왕령이를 생각하는 것도.

커서 뭐가 되고 싶으냐고 묻지 마.
내 마음에는 장풍이, 암컷이, 왕령이, 미니 장풍이가 있으니까

## 온통 강아지

글, 그림: 꿈오리반 ( 장명빈)

내 스케치북에는 강아지 날아.

낮 에도
밤 에도
꿈속에서도 날아.

꿈속에서 는 언제나
내가 앉아 있어.

강아지 에는 소파 도 앉고
침대 도 앉고
내 방에도 앉아.
오늘은 내무릎에 앉았어.

난 강아지가 좋아.
강아지 구경하는 것도
강아지 그리는 것도
강아지 생각하는 것도.

커서 뭐가 되고 싶으냐고 묻지 마.
내 마음에는 온통 강아지뿐이니까

# 온통 사촌동생

신윤빈

내 스케치북에는 사촌동생이 날아.

인형에도 머리핀에도
사촌동생이 날아.

사촌동생 아래에는 언제나
내가 앉아 있어.

내 무릎에는
사촌동생도 앉고
인형도 앉고
머리핀도 앉아.
오늘은 많이 많이 앉았어.

난 사촌동생이 좋아!
사촌동생을 구경하는 것도
그리는 것도
생각하는 것도.

커서 뭐가 되고 싶으냐고 묻지 마.
내 마음에는 온통 사촌동생 뿐이야

# 온통 번족이 ♡

글, 그림: 꿈오리반 ( 이도엽

내 스케치북에는 번족이가 날아.

꿈에도

머리에도

하늘도 날아.

내 머리는 언제나

내가 앉아 있어.

방에는 번족이도 앉고

의자도 앉고

바닥도 앉아.

오늘은 의자에 앉았어.

난 번족이가 좋아.

번족이를 구경하는 것도

번족이를 그리는 것도

번족이를 생각하는 것도.

커서 뭐가 되고 싶으냐고 묻지 마.

내 마음에는 번족이가 있어.

## 온통 이도협 ♡

글, 그림: 꿈오리반 (변쭈이

내 스케치북에는 이도협이 날아.

내 머리 에도
킹치 머리 에도
이 도 협이 날아.

이도협 머리에는 언제나
내가 앉아 있어.

![? 이도협,머리 에는 김동휘 도 앉고
전예준 도 앉고
김하민도 앉아.
오늘은 이도협, 어깨에 앉았어.

난 이도협이 좋아.
이도협을 구경하는 것도
이도 협을 그리는 것도
이 도 협을 생각하는 것도.

커서 뭐가 되고 싶으냐고 묻지 마.
내 마음에는 도협이가 날아, ㅆ ㅋ

## 온통 춘돌이뿐

글, 그림: 꿈오리반 (강보빈

내 스케치북에는 춘돌이가 날아.

밖에도
안에도
춘돌이가 날아.

춘돌이 집에는 언제나
내가 앉아 있어.

개집에는 나도 앉고
명빈도 앉고
보영도 앉아.
오늘은 내가 앉았어.

난 춘돌이가 좋아.
춘돌이를 구경하는 것도
춘돌이를 그리는 것도
춘돌이를 생각하는 것도.

커서 뭐가 되고 싶으냐고 묻지 마.
내 마음에는 춘돌이 뿐이니깐

**온통 밥이야**

글, 그림: 꿈오리반 ( 박다한

내 스케치북에는 밥이 날아.

밥에도
밥에도
밥이 날아.

밥이는 언제나
내가 앉아 있어.

밥에는 밥도 앉고
밥도 앉고
밥도 앉아.
오늘은 밥에 앉았어.

난 밥 좋아.
밥을 구경하는 것도
밥을 그리는 것도
밥을 생각하는 것도.

커서 뭐가 되고 싶으냐고 묻지 마.
내 마음에는 밥

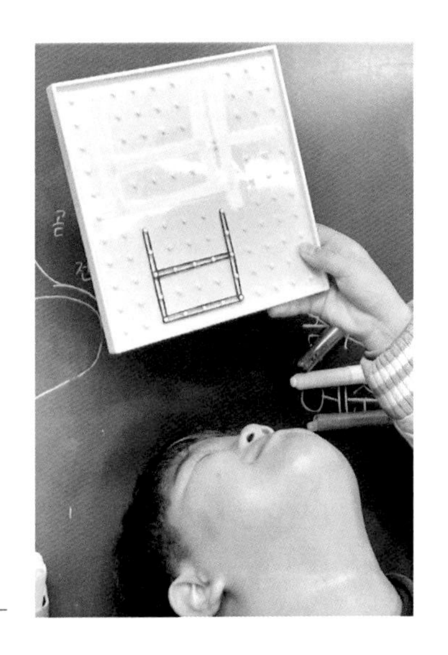

# 온통 치킨

글, 그림: 꿈오리반 ( [illegible] )

내 스케치북에는 치킨 날아.

집에도
학교에도
치킨 날아.

치킨는 언제나
내가 앉아 있어.

치킨에는 무도 앉고
소스도 앉고
맛도 앉아.
오늘은 간장치킨 앉았어.

난 치킨이 좋아.
치킨을 구경하는 것도
치킨을 그리는 것도
치킨을 생각하는 것도.

커서 뭐가 되고 싶으냐고 묻지 마.
내 마음에는 치킨이 있어

# 온통 호날두

글, 그림: 꿈오리반 (권예준

내 스케치북에는 호날두가 날아.

머릿속 에도
마음 에도
호날두가 날아.

관중석에 는 언제나
내가 앉아 있어.

관중석 에는 발롱도르 도 앉고
챔스트로피 도 앉고
골든볼 도 앉아.
오늘은 월드컵 트로피가 앉았어.

난 호날두가 좋아.
호날두를 구경하는 것도
호날두를 그리는 것도
호날두를 생각하는 것도.

커서 뭐가 되고 싶으냐고 묻지 마.
내 마음에는 호날두가 매일 날아

## 온통 물고기

글, 그림: 꿈오리반 ( 김치 )

내 스케치북에는 물고기가 날아.

책상 에도
머리카락 에도
물고기가 날아.

물고기 지느러미에 는 언제나
내가 앉아 있어.

꼬리 에는 아기 도 앉고
친구 도 앉고
가족 도 앉아.
오늘은 우리 강아지가 앉았어.

난 물고기가 좋아.
수족관에서 구경하는 것도
스케치북에 그리는 것도
물고기를 생각하는 것도.

커서 뭐가 되고 싶으냐고 묻지 마.
내 마음에는 물고기ㅋㅋ

# 온통 틱톡

박시윤

내 머릿 속에는 틱톡이 날아.
온 세상이 틱톡으로 재미있어.

틱톡은 멈출 수가 없어!
틱톡은 중독이야
오늘은 틱톡에 올릴 영상 편집을 해야겠어

난 틱톡이 좋아!
틱톡을 구경하는 것도
틱톡 올리는 것도
티톡 생각만 하는 것도

나한테 뭐하냐고 묻지마!
내 머릿속은 온 세상이 틱톡이야

# 제가 왜 늦었냐면요

패러디

# 변명

## 고은별

아
제가 일부러 늦은건 아닌데요..
알람을 맞춰놨는데 알람이 띠링! 울리면서 지진이 나는거예요!
지진이 "쿵!"
쓰나미가 밀려와서 어떤 건물 옥상에 올라갔는데
뒤에서 전과 368범이 뛰어와서
"이렇게 된거 될대로 되라지!"
하고 뛰어내렸는데 갑자기 공습경보가 울리면서
전투기가 날아다니는데....그만..... 전투기에 치인거예요!
눈을 떠보니 도로에 떨어졌는데
제 눈앞에...... 연예인이 있지 뭐예요?!!
"와! 사진 찍어주세요!" 근데 갑자기 "꼼짝마라우 동무" 하면서
총을 쏘는 거예요
그래서 6354백덤블링을 뛰었는데
엥? 학교 바로 앞이 더라구요?
종치기 1분 전이라서 급하게 들어가려는데 글쎄.......
좀비가 있는거예요!
그래서 야구 방망이로 좀비를 내려치고 도망가려는 순간..!!

집에 TV를 안끄고 온게 생각나서 끄고.... 오다가 늦었습니다
죄송합니다..

# 두 번째 마디

## 4학년 2반

# 내 머릿속은 온통

## (4학년 2학기 국어 수업을 하며)

# 온통 치킨

강석찬

내 스케치북에는 치킨이 날아.

치킨집에도
집에도
치킨이 날아.

치킨은 언제나
내가 먹었어.

옆자리에는 친구도 앉고
엄마도 앉고
아빠도 앉아.
오늘은 동생이 앉았어.

난 치킨이 좋아.
치킨을 구경하는 것도
치킨을 그리는 것도
치킨을 생각하는 것도.

커서 뭐가 되고 싶으냐고 묻지 마.
내 마음에는 치킨이 있어.

# 온통 돈 세상

안성재

내 스케치북에는 돈이 날아.

오 만원에도
만원에도
천원에도 날아.

조종석에는 언제나
내가 앉아 있어.

조수석에는 돈도 앉고
엄마도 앉고
형, 누나, 아빠도 앉아.
오늘은 돈이 앉았어.

난 돈이 좋아.
돈 구경하는 것도
돈 그리는 것도
돈 생각하는 것도.

나는 돈이 좋아.

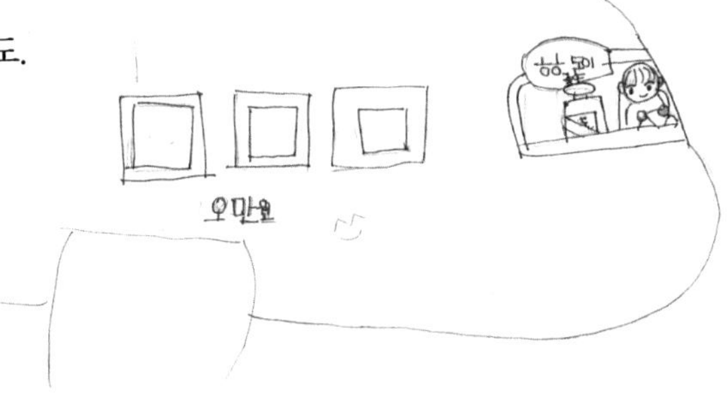

# 온통 아따맘마

김서율

내 머릿속에는 아따맘마가 있어.

노트에도
스케치북에도
아따맘마가 있어.

아따맘마는 언제나
TV에 있어.

아따맘마에는 동동이도 있고
아리도 있고
아빠도 있고
엄마도 있어.

난 아따맘마가 좋아.
아따맘마를 구경하는 것도
아따맘마를 그리는 것도
아따맘마를 생각하는 것도.

내 마음에는 아따맘마가 있어.

# 온통 강아지

글/그림 4학년2반 박다솜

내 스케치북에는 강아지가날아.

저기에도
여기에도
강아지는 날아.

스케치북에는 언제나
강아지가 있어.

내스케치북에는
나도 앉아있고
나의집 강아지도 앉아있고
내가그린 강아지들도 있어
오늘은 큰 강아지도 앉았어.

난 강아지가 좋아
강아지를 구경하는 것도
강아지를 그리는 것도
강아지를 생각하는 것도

커서 뭐가되고 싶냐물어보면

난수의사라고할래.

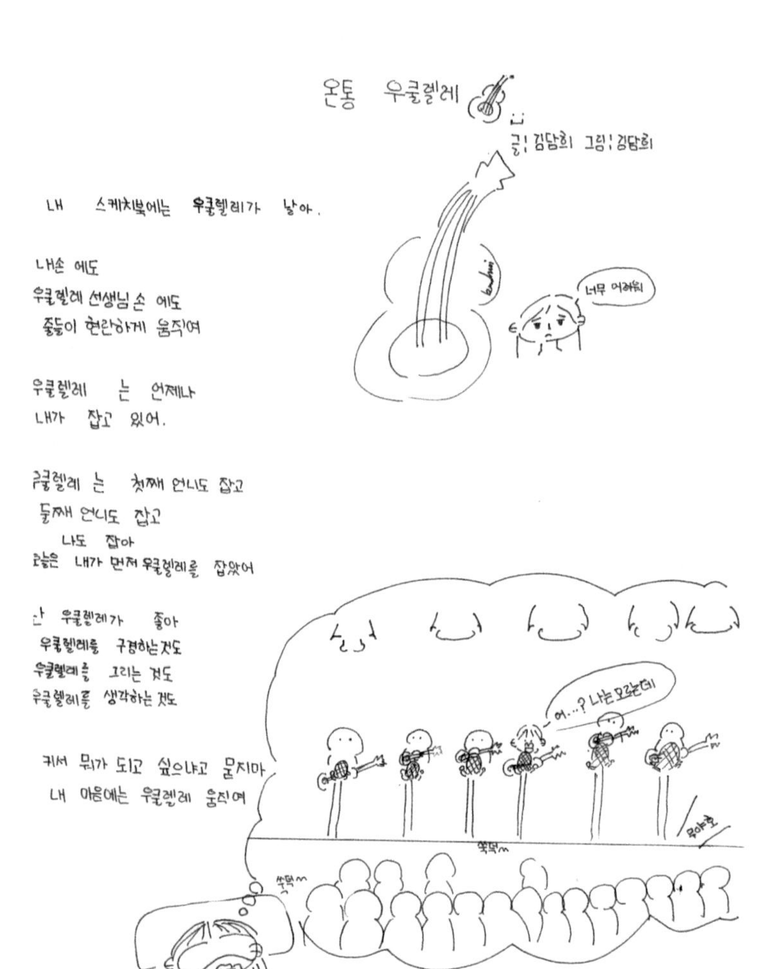
온통 우쿨렐레
글: 김담희 그림: 김담희
내 스케치북에는 우쿨렐레가 날아.
내손 에도
우쿨렐레 선생님 손 에도
줄들이 현란하게 움직여
우쿨렐레 는 언제나
내가 잡고 있어.
구쿨렐레 는 첫째 언니도 잡고
둘째 언니도 잡고
나도 잡아
오늘은 내가 먼저 우쿨렐레를 잡았어
난 우쿨렐레가 좋아
우쿨렐레를 구경하는것도
우쿨렐레를 그리는 것도
우쿨렐레를 생각하는 것도
커서 뭐가 되고 싶으냐고 묻지마
내 마음에는 우쿨렐레 움직여
너무 어려워
어…? 나는 모르는데
무아호
쑥덕~
쑥덕~

# 온통 피아노

양시온

내 스케치북에는 피아노가 날아.

그림에도
학원에도
피아노가 날아.

피아노에는 언제나
내가 앉아 있어.

피아노에는 나도 앉고
동생도 앉고
아기도 앉아.
오늘은 내가 앉았어.

난 피아노가 좋아.
피아노를 구경하는 것도
피아노를 그리는 것도
피아노를 생각하는 것도.

커서 뭐가 되고 싶으냐고 묻지 마.
내 마음에는 온통 피아노♥

# 온통 고기

이단우

내 스케치북에는 고기가 날아.

우리 집에도
스케치북에도
고기가 날아.

치킨집에는 언제나
내가 앉아 있어.

치킨집에는 엄마도 앉고
아빠도 앉고
누나도 앉아.
오늘은 나도 같이 앉았어.

난 고기가 좋아.
고기 구경하는 것도
고기 그리는 것도
고기 생각하는 것도.

커서 뭐가 되고 싶으냐고 묻지 마.
내 마음에는 한우가 있어!

# 온통 피구

박서진

내 스케치북에는 피구공이 날아.

꿈에도
현실에도
여전히 날아.

객석에는 언제나
내가 앉아 있어.

객석에는 엄마도 앉고
고양이도 앉고
누나도 앉아.
오늘은 형이 앉았어.

난 피구가 좋아.
피구를 구경하는 것도
피구를 그리는 것도
피구를 생각하는 것도.

커서 뭐가 되고 싶으냐고 묻지 마.
내 마음에는 피구공이 있어.

# 온통 선생님

고민시

내 스케치북에는 선생님이 날아.

기쁠때에도
화날때에도
선생님이 날아.

선생님 마음속에는 언제나
내가 앉아 있어

마음속에는 나도 앉고
친구도 앉고
가족도 앉아.

오늘은 내가 앉았어.

난 선생님이 좋아.
선생님을 구경하는 것도
선생님이랑 노는 것도
선생님을 생각하는 것도.

커서 뭐가 되고 싶으냐고 묻지마.
내 마음에는 선생님이 있어.

# 온통 고양이

글, 그림: 4학년 2반
박서은

내 노트에는 고양이가 있어.

필통도
인형도
항상 다 고양이야

내 마음에는 언제나
고양이가 있어.

난 고양이가 좋아.
고양이를 구경하는 것도
고양이를 그리는 것도
고양이 생각하는 것도
어떤 동물이 제일 좋냐고 묻지마.
내가 제일 좋아하는 동물은 고양이야

# 온통 축구

최용준

내 스케치북에는 축구가 날아.

지우개에도
필통에도
축구가 날아.

축구에는 언제나
내가 공을 차고 있어.

축구 선수 유니폼에는 이강인 유니폼이 있고
홀란드 유니폼이 있고
메시 유니폼이 있어.
오늘은 메시 유니폼을 입을 거야.

난 축구가 좋아.
축구를 구경하는 것도
축구공을 그리는 것도
축구를 생각하는 것도.

커서 뭐가 되고 싶으냐고 묻지 마.
내 마음에는 축구가 있어♡

# 온통 피아노

박지아

내 스케치북에는 피아노가 있어.

학원에도
집에도
피아노가 있어.

피아노 의자에는 언제나
내가 앉아 있어.

옆방에는 친구도 앉고
동생도 앉고
언니, 오빠도 앉아.
오늘은 옆방에 친구가 앉았어.

난 피아노가 좋아.
피아노를 구경하는 것도
피아노를 그리는 것도
피아노를 생각하는 것도.

커서 뭐가 되고 싶으냐고 묻지 마.
내 마음에는 피아노가 있어.

# 온통가족

글.그림=4학년2반 박한별

내 스케치북에는 가족이 그려져 있어.

A4용지에도
사진에도
가족들이 있어.

공부책상에는 언제나 내가 앉아있어.

소파에는 아빠도 앉고
동생도 앉고
엄마도 앉아.
오늘은 내가좋아하는 쿠로미인형과 시나모롤 인형이 앉았어.

난 가족이 좋아

함께 사진찍는것도

함께 노는것도
가족을 그리는것도

커서뭐가되고 싶으냐고 묻지마

내 머릿속에는 가족이있으니까.

# 온통 축구 생각

박건욱

내 머리에는 축구 생각이 날아.

잘 때도
놀러 가도
축구 생각이 날아.

축구 생각은 언제나
사라지지 않고 계속 생각나.

축구는 계속 생각나.
수업 할 때도
밥 먹을 때도
오늘도 계속 생각하고 있어.

난 축구 생각이 좋아.
축구 경기를 보는 것도
축구 유니폼을 사는 것도
축구를 생각하는 것도.

커서 뭘 즐겨 볼 거냐고 묻지 마.
내 마음은 온통 축구 생각이야.

# 온통 유튜버야

**여태준**

나는 게임이 좋아.

그림에도
방송에도...
게임유튜버 태준이는 힘들지만 시청자가 좋아.

크로마키 앞에는 언제나
내가 앉아 있어.

크로마키에는 나도 앉고
시청자는 집에서 날 보고 있어.
크로마키에는 나만 앉지.
오늘은 크로마키 앞에 앉았어.

나는 후원이 좋아.
시청자를 구경하는 것도

커서 뭐가 되고 싶으냐고 묻지 마.
내 마음에는 게임유튜버

# 온통 미니어처

오채민

내 스케치북에는 미니어처가 날아.

집에서도
학교에서도
미니어처가 날아.

미니어처 의자에는 언제나
내가 앉아 있어.

의자에는 엄마도 앉고
아빠도 앉고
오빠도 앉아.
오늘은 엄마가 앉았어.

난 미니어처가 좋아.
미니어처를 구경하는 것도
미니어처를 그리는 것도
미니어처를 생각하는 것도
커서 뭐가 되고 싶냐고 묻지 마.
내 마음에는 미니어처가 날아요

# 제가 왜 늦었냐면요

## (4학년 2학기 국어 수업을 하며)

# 제가 왜 늦었냐면요

오채민

약속 시간 때 30분 정도 늦었다.

"집에서 나오는데...핸드폰을 두고 온 거야. 그래서 가지고 나와서
길을 걷는데 교통사고가 나가지고 사람이 쓰러져 있어서 나보고
119에 전화 좀 해달라는 거야. 그래서 전화해서 신고하고 가는데
지갑을 두고 와서 다시 집에 가서 지갑을 챙겨왔지. 그래서 엘리베이터를
타고 띵동 1층에 도착했는데......또 가방을 두고 와서 늦었어."

어휴

# 제가 왜 늦었냐면요

이단우

집에 늦게 들어왔는데
저녁 5시였다.

"어느 날, 학교가 끝나고 핸드폰을 보며 집에 가고 있었는데
바닥에 있는 바나나 껍질을 밟고 넘어졌어요. 근데 땅 속으로
빨려 들어가져서 그래서 여기가 어디지? 하고 있는데...갑자기!
앞에 있는 바나나가 배고프다고 말을 하는 거예요. 그러다가
방구가 나와서 방구의 힘으로 땅을 뚫고 나와 집에 오느라
저녁 5시가 됐네요..."

엄마한테 혼났다.

# 제가 왜 늦었냐면요

정여진

엄마가 왜 늦었냐고 물었다.
내가 말했다.

"내가 아아아주 신나는 음악을 둠칫둠칫하면서 걸으며 가고 있었어.
근데 강아지를 만나고 말았어. 그 강아지가 쫓아오는 거야. 그래서
내가 전속력! 말하고 도망갔지. 점점 다가오니까 내가 필살기! 말하고
강아지를 뛰어넘고 횡단 보도에 있었어. 빨간불...초..초..초록불! 그러고
집에 도차ㄱ...."

엄마는 "하...그만하자..."
나는 "응"

# 너는 왜 늦었어?

김담희

나는 약속 장소에 도착했다.
바람도 불고, 비도 오고 그랬는데
몇 분 동안 안 와서 기다렸는데
톡을 보냈더니
기다려 달라 한다.

그래서 계속 안 와서 반을 갔는데
걔가 와서 하는 말이
“아 미안, 진짜 미안. 나도 빨리 가고 싶었는데
엄마가 우유 먹고 가래서 우유 조금 남았었는데
엄마가 더 먹고 가래서 미안.”
.
.
.
.
아니 우유를 1L를 마셔?

# 자유 주제

# 밤

최용준

밤이면 거리가 빛나고
밤이면 달이 모습을 비추고
밤이면 어두워지고
밤이면 조용해지고
밤이면 모두가 잠들고

달을 보는 우리는 행복합니다.

# 달팽이는 오늘도 간다

여태준

비오는 날
학교로 가는데
달팽이는 우리가 한 발 갈 때
몇천 번을 가는 거랑 똑같다.

그래서 나는
달팽이를 안전하게 데려다 줬다.
달팽이는 고마웠는지
날 보고 간다.

# 거짓말

박건욱

거짓말을 하면
마음이 조마조마

엄마한테 걸릴까
심장이 벌렁벌렁

그래도 계속 거짓말을 하네

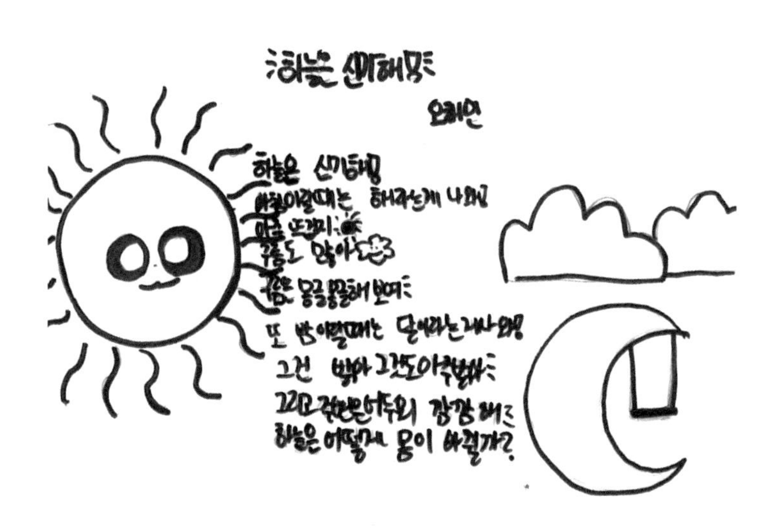

하늘은 신기해요
하늘은 신기해요
아침이 될 때는 해라는 게 나오고
구름도 많아
구름은 몽글몽글해 보여
또 밤이 될 때는 달이라는 게 나와요
그리고 저녁은 어두워 깜깜해
하늘은 어떻게 모양이 바뀔까?

# 달고나

임예원

우리 집은,
여름만 되면
달콤한 냄새가 폴폴폴~

설탕을 녹이고,
소다를 넣으면
퐁실퐁실 부풀고,

살짝 찍어 맛보면?
아! 뜨거!

후후!
불어 먹으면
더~ 맛있는 이건...
달고나!~

# 물고기

안성재

유치원 7살 때
쌤이 물고기를 선물로 주셨다.

그 때,
집에서 물고기가 죽었다..ㅠㅠ
안돼~~~~

# 게임의 힘, 운빨

여태준

게임을 하고 있는데
거의 못 맞출 걸
운이 날 따라줬다.

그렇게 3연속으로 이기고
2번은 내 실력으로 이기고
1점도 주지 않고 이겼다.

그분이랑 또 할라고 하는데
날 피한다.

# 게임의 집중력

여태준

게임을 하고 있었다.
모든 소리를 차단하고
게임 소리만 집중한다.

0.001초도 아깝다.
0.001초로 반응한다.

1등했다.

제목: 숙제 박지아

숙제는 끝이 없다.

국어, 수학, 영어 등 많다.

나는 숙제를 다 한것같은데

많이 남아있다.

숙제는 왜 있는지 모르겠다.

그래도 미래 위해서 해야한다.

# 엄마

시: 지우개
그림: 지우개

'엄마는 꼭 내 옆에 있지?'
'엄마 나 무서워'
'엄마 밥 줘'
집에서 엄마 단어로 들린다

# 축구

최용준

넘어지고,
다치고,
골을 만들어내고,
좋아하고,
수비하고,
공을 막는다.

패스를 하고,
달리고,
우승한다.

# 산에 간다

안성재

친구랑 산에 있는 놀이터에 갔다.
친구랑 나는 사진을 찍었다.
물고기가 크다 얘기하는데
내 눈오리가 물에 떨어졌다..ㅠㅠ
안돼~~~~

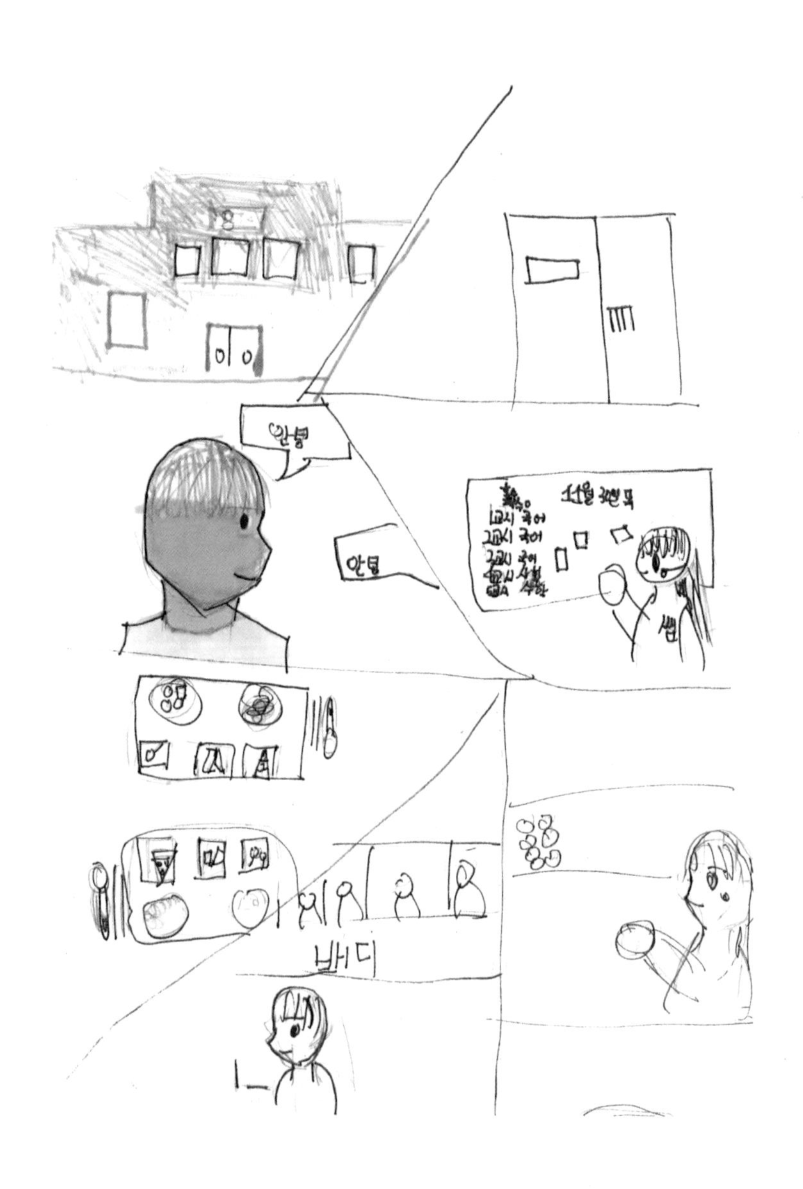
안녕
안녕
1교시 국어
2교시 국어
3교시 국어
4교시 사회
5교시 수학
쌤

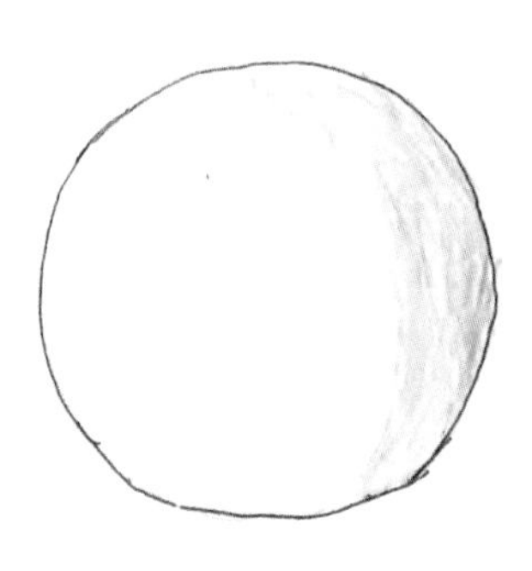

# 달토끼

글·그림: 김주영

달에서 토끼들이
"영차! 영차!"
떡을 만들고 하나 둘
떡을 빚어
찹쌀떡, 무지개떡, 송편 등
맛있는 떡을 만들고
"하나, 둘, 셋!…"
달토끼가 떡을 보따리에 싸서
몽실몽실 떡을
다른 토끼들과 나눠먹습니다.

이름: 정여러 제목: 라면

엄마께서 라면을 드시고
계셨다. 라면을 후루룩
면발소리에 라면을
먹고싶어서 라면을
끓였다. 냄새가 엄청
좋았다. 라면을 먹고
나니 배불렀다

컴 퓨터

# 눈

박한별

한겨울에 눈이 내리면 부모님은 아이들이 추울까봐 걱정.
한겨울에 눈이 내리면 아이들은 뛰어놀려고 신남과 즐거움 가득한 목소리.
부모님은 목도리, 귀마개, 모자 장갑, 패딩, 따뜻한 옷 준비하느라 바쁘고
아이들은 걱정없이 눈사람, 눈싸움, 썰매 타며 논다.
집앞에서는 고드름이 꽁꽁얼고 눈과 바람이 섞인다.
그것을 본 부모님과 아이들은 "우와. 겨울이 왔네" 라고 말한다.

## 무지개

박한별

비가오면 그다음으로 무지개가와

어여쁜무지개, 하늘과 어울리는무지개.

저기로 건너 보고싶어. 손으로 만져보고 싶어.

조금 있으니 무지개가 없어졌네.

1년 마다?

왜냐면

우리는 떡국을 먹으면

한살을 더먹는다고 한다.

1년이 지나면 1살을 더먹어서

1학년→2학년→3학년→4학년

학년도 올라간다.

왜 1살을 더 먹을까?

그것이 궁.금.하.다..

# 겨울

(글,그림: 박세은)

나는 겨울이 제일 좋다. 붕어빵,호떡,어묵등 맛있는걸 먹을수 있고,

또 눈사람도 만들수있고 눈싸움도 할수있고 크리스마스도 있어서 겨울이 좋다.

365일이 다 겨울이면 좋겠다.

## 〈칠판〉 글 그림: 양시온

수업할 때 첫번째로 생각나는 것은 칠판,
칠판은 매일매일 쓰고,
지우고를 반복한다.
칠판은 힘들다.
하지만, 아이들을 위해,
매일 매일 쓰고 지우고를,
반복한다.
그렇게 칠판은,
오늘도 열심히
쓰고 지우고를,
반복한다. —끝—

# 크리스마스

글, 그림. 최용준

산타 생각나는 크리스마스
예쁜 크리스마스
알록 달록 크리스마스
눈이 오는 크리스마스
12월을 알리는 크리스마스
추운 크리스마스
메리메리 크리스마스
귤 먹는 크리스마스
가족과 행복한 크리스마스

선생님

글, 그림: 4-2 박지아

집중력↑

항상 친절한 선생님

항상 가르쳐주는 선생님

이해력↑

항상 다정한 선생님

항상 알려주는 선생님

친절력↑

선생님 감사합니다.

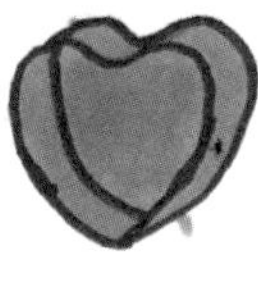

꽃
박한별
두근두근 선물하는 꽃다발
찰칵찰칵 사진찍을때 꽃받침
살랑살랑 흔들리는 꽃잎
솔솔 냄새좋은 꽃향기
방긋방긋 기분좋은 꽃말
flower
너는참이뻐
오늘옷정말이쁜걸?
고마워

# 골목길 글·그림 김주영

골목에 들어가면 그림이,
벽을보면 꽃이.
그만 정신팔려 걷다보면
어느새 집에 도착
아~ 배고파
오늘도 즐거운 골목구경 이었다.

# 지렁이

여태준

학교를 가고 있는데
지렁이가 꿈틀꿈틀 거리며
살려달라고 말했다.
지렁이는 안간힘으로 도망쳤다.
그 지렁이는 나도 지금 모른다.

어디서 행복하게 살겠지 ^-^

# 일인일역

글, 그림 : 김서울

일인일역은 1인당 직업을 가지는 거다.
자기가 하고싶은 일을 골라 하는거다.
그중에서 제일하고 싶은 줄대장을 들어갔다.

줄대장은
얘들 한테 조용히시키는 일을한다.
조용히시키고 눈을 깜빡이면
또 얘기를 하고 있다.
줄대장은 힘들다.

글,그림: 임예원

꿈속에서 무지개 뜬 하늘도 보고, 신비한 무지개 꽃도 보고, 무지개 놀이터도 찾고, 신비한 무지개 꽃도 찾았네!! 다 놀고, 집에 들어가니 킁킁~ 맛있는 냄새가 한가득!! 맛있는 잡채를 먹는다!!

나무의 머리술
고현서
나무는 겨울이 올때마다 머리술이 눈과 함께
펑펑 내립니다.
나도 머리술이
펑펑 내릴까요

선생님

글그림: 문찬석

우리쌤은 참멋지신 분이다.
왜냐 간식을 주고 발표를시켜준다.

어떨때는 무서운편이다.
얘들을 혼낼때는 머리카락곤두서고 몸도변한다
가장 좋아보이는 장점은 간식을 주는것이 제일좋다

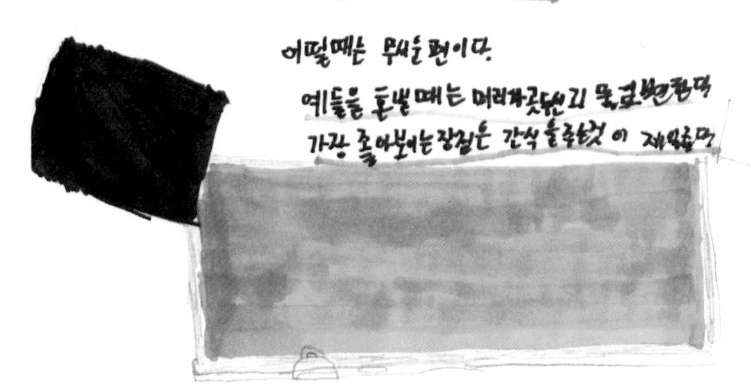

엄마의 레벨업 잔소리

글그림: 문창석

엄마는 맨날 잔소리를 한다.

그런데 네가 엄마의 잔소리를 무시한면
그때는 엄마는 누구한태 전수 받는
것처럼 잔소리가 더 심해 진다 얼른 어른
되면 잔소리 해도 되나?

우리 반

글, 그림 정혁찬

우리 반 친구들은 최고편이다. 왜냐하면
착하니까
우리 반 선생님은 최고편이다. 왜냐하면 착하고
니까
엄마아빠는 최고편이다 최고니까
나와 [illegible] 수도 도와주니까

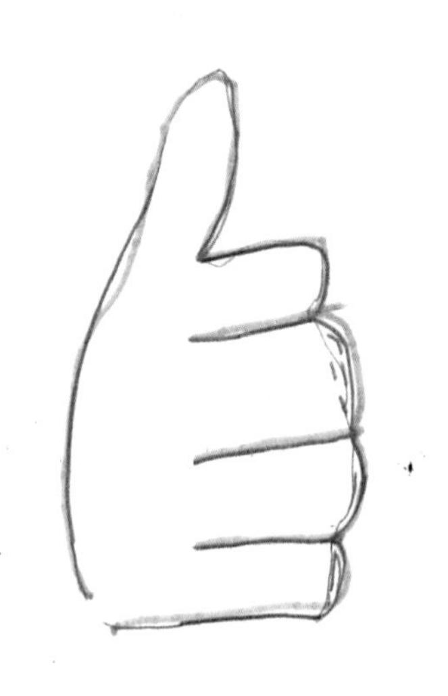

## 치즈돈까스

글 여태준
그림 여태준

목욕을 하고
치즈돈까스 냄새가 나서
보았더니
치즈돈까스 냄새다
바로 먹고
치즈가 푹신 푹신
하다
밥도 푸짐하고
균형은 욕망을
해제하고
야무지게
먹는다

## 우유

글 박서진 그림 서진

오늘은 우유을 흘렸다 너무화난다
친구가 도와줬다 너무고맙다

선생님 한테
혼났다.

억울하다

# 베트남 누나가 한국말을 알았다

여태준

베트남 누나랑 게임을 하고 있었다.
나는 베트남 언어를 몰라서
한국말을 하고 있는데
누나가 한국말을 쪼금 배웠다.

내가 하니까 누나가
내가 하는 한국말을 쪼금 따라한다.

그래서 나는 게임할 때 편하다.

달맞이꽃과박쥐

박한별

달맞이꽃은 꽃중에서도 유일하게

아침에는 접어져있고 밤에는 펴져있는꽃

대부분 사람들은 아침에활동하는데 예쁜 달맞이꽃을

볼수없다. 외로운 달맞이꽃에게 다가가는 단한마리의 박쥐

박쥐는 대부분 밤에 활동하는동물

달맞이꽃과 박쥐는 단 하나뿐인 단짝♡

## 노을

박한별

하늘에 노을이 올때는
밤과 아침이 만나는 시간
하늘에 노을이올때는
해와 달이 만나는 시간
하늘에 노을이 올때는
오색빛깔이만나는 시간

천사
글 성재 그림 성재
우리반 천사
엄마, 아빠, 형아 누나, 나
천사
우리반 쌤
천사,
천사

## 선생님의 내기

글, 그림 : 오채연

우리 선생님은 내기를 하셨다.

그 내기는
너무 쉬웠다.

진다는 생각은
있었을까??

선생님은 우리가
이긴다고 생각은
해봤을까?

우리가 내기를
이겼다!!

선생님의
과자는 갈길을
잃었다.

<크리스마스>

글: 김담희 그림: 김담희

크리스마스는 왜 생겼는지 궁금하다
크리스마스에는 왜 트리가 필요한지 궁금하다.
크리스 마스는 왜 산타할아버지와 루돌프가
선물을 나눠주는지 궁금하다.

그래도
크리스마스가 있어 가족들이랑 보낼수있고
트리가 있어 선물을 받을수있고
선물이 있어 사람들이 행복해한다

그리고 크리스마스에는 눈이 있어
눈사람도 이글루도 만든적도 있다
내가 눈을 밟을때면 뽀독뽀독 소리가 난다
그걸보고 내 친구가 말을 했다
눈꽃요정에 척추가 부서지는 소리라고..

# 돈까스

글,그림:이단우

엄마가 돈까스를
먹자고 했다 기분이 좋다

돈까스집으로 걸어가고 있다
기분이 좋다

익숙한 냄새가 난다

익숙한 치과 냄새...

# 세 번째 마디

## 꽃사랑반

# 바닷속

한예준

바닷속이 참 있어요
바다 속에는 물고기, 상어, 해파리, 거북이
고래, 산호 등이 많아요
모두 다 바다에요

# 행복

허영재

행복은
좋은거야

친구 사이
좋아하는 사랑하는
사람에게 주는거야

행복은 진짜
좋은거야

# 가을(1)

신규빈

가을하면 도토리, 나뭇잎이
생각나지요

# 가을(2)

김진철

호빵이 맛있고 사과도 달콤하고
가을은 먹방이다

# 가을(3)

김도윤

치킨, 피자도 맛있는데
가을에는 맛있는게 많잖아

# 가을(4)

조현이

가을에 놀이터에 가서
신나게 놀면
라면이 생각나요

# 미래의 지구 2050

**한예준**

미래의 지구가 탄생하자 지구에서는
로봇을 볼 수 있고
외계인도 UFO도 만났어요

미래의 지구에서는
기차, 집, 차, 아파트, 사람, 모두
모든지 미래가 되어요

2050년에서는 모두가
미래가 되어요

우리 모두 다 미래가 궁금하죠?

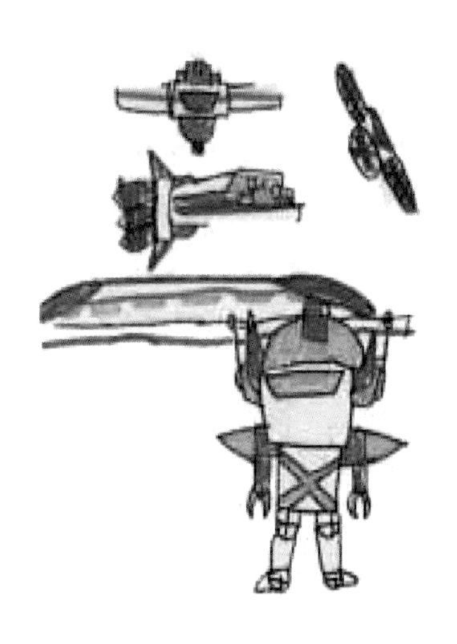

# 여름

허영재

여름 여름 한여름
너무 더워

너무 너무 더워서
땀이 많이 많이 나네

집에 가서 에어컨을 켜고
시원한 아이스크림을 먹으면서

더운 여름을 보내자

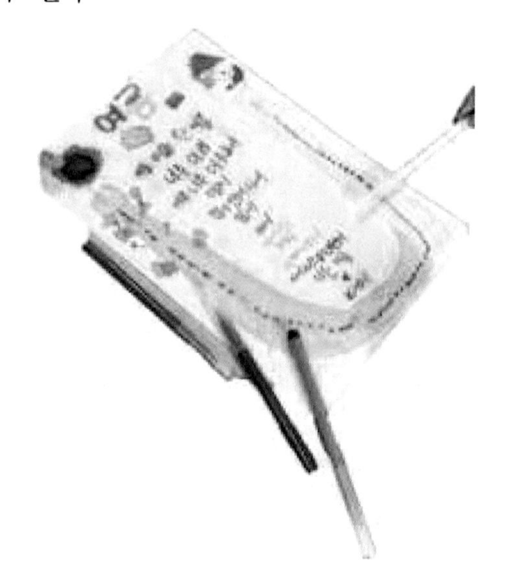

# 카페에 가면

김진철

초코 음료수를 먹었어요
얼음을 넣고
초코 초코 초코
으음
기분이 좋다

# 크리스마스

한예준

오늘은 크리스마스 날이에요
12월 25일 날은 선물을 사주기도 하지요
트리도 꾸미고 과자도 먹고 함께
신나게 놀아요
12월 25일이 끝나고
12월 26일이 되어도
정말 행복해요

# 가을 바람

꽃사랑반 함께 시

여름이 지나고
조심조심 가을이 오나보다
가을 바람이 솔솔
가을 향기가 풀풀
가을 소리가 들린다
가을이 왔구나!

# 겨울

허영재

내가
너무너무 좋아하는 계절
하지만 어른들은 싫어한다
이유는 도로가 얼기
때문이야

그래서
어른들은 겨울을
싫어해!

내가 알아서 뭐해!

나는
겨울이 너무너무
좋아

# 비가 오는 날

꽃사랑반 함께 시

방울방울 비가 내리면
한 방울은 엄마 걱정
두 방울에는 아빠 생각
세 방울에는 동생 얼굴이 떠올라요
빗방울은 방울방울
내 마음도 방울방울

# 행복의 공식

꽃사랑반 함께 시

행복은 그저
웃는 거야
사랑한다고 말하는 거야
맛있는 것을 나누는 거야
나누면 커지는
신비한 공식
그게 행복이야

신규빈 겨울의 마음

꽃사랑반

쌀쌀한 겨울에는

으으 너무 추워

그럼 우리 함께 안아보자

밖은 추워도

함께 하는 마음은 따뜻할

거야

꽃사랑반 함께 시

## 겨울시

신규빈

겨울은 따뜻한
장갑과 목도리를
해야해요

# 겨울시(2)

김도윤

겨울에는 호호 불어먹는
매운음식이 생각나요

# 겨울시(3)

조현이

겨울은 코코아랑
닭다리가 생각나요

# 행복이란

한예준

행복이란 사랑은
나누는 거 사랑은
빼빼로 데이나 발렌타인데이도 화이트데이도 있어요

그리고 또 사랑은 행복한 것
마지막은
누룽지데이

# 세 번째 마디

## 꽃누리반

# 워터 파크

양유지

나는 여름에
워터 파크를 가고 싶다.

워터 파크에서는
역시 냉면이지!

맛있겠다!!

빨리 여름 되라~

# 아이스바 슬라임

송호영

너무 말랑말랑!

재미있다~

동물 장난감이랑 섞으면

더 재미있는 아이스바 슬라임~

다음번에는

어떻게 놀아볼까?

# 서로에게 한 – 마디

## ♡ 서로에게 한 – 마디 ♡

얘들아~ 전학가지마 ㅠ.ㅠ 5학년 때도 꼭 같은 반 되자〈장보빈 작가〉

1년동안 친구들과 시간을 보낼 수 있어서 행복했다〈장명빈 작가〉

꿈오리반! 1년동안 고마웠어. 5학년 6학년이 되든 언제나 같은 반 됐으면 좋겠어! 같은 반 안돼도 매일 좋은 하루 보냈으면 해. 지나가다 인사도 하구 생일선물도 챙겨주고 슬픈 땐 서로 위로도 해주고!서로서로 이해해주고 싸우지 말고 절교하지 말자 ^_^〈김민경 작가〉

우리는....... 재밌다〈김동휘 작가〉

미래의 나는 똑똑하겠지?? 제발!!〈이도협 작가〉

안녕~ 4학년동안 모두 수고 많았고 나 사실 4학년에 좋아하는 애 있는데......맞춰봐〈양지아 작가〉

서현, 담희, 시은, 한별, 현서, 서율 등등 나랑 함께 해줘서 고마워♡ 〈고은별 작가〉

얘들아 1년동안 너무 재미있었어 고마워!〈양지훈 작가〉

얘들아 내가 살아보니까 밥이 최고야!
특히 집밥.. 다들 밥 잘 챙겨먹어〈박다한 작가〉

동시를 쓰면 너무 기분이 좋아~〈한예준 작가〉

아~주 나중에 내가 시를 한 번 또 써볼게〈강석찬 작가〉

5학년 때 또 만나자〈고현서 작가〉

이 시를 읽는 여러분에게...이 시를 쓸 때에는 정말 재미난 시간이였다!
〈김담희 작가〉

이 시를 쓰면서 재미있고 좋았습니다.〈김서율 작가〉

음 여러분도 시 쓰면서 좋은 추억 만들어봐요〈김주영 작가〉

2반과 함께 시를 써서 좋았습니다.〈문찬석 작가〉

시를 쓰면서 전 일이 생각나서 좋았다〈박건욱 작가〉

시 열심히 썼으니까 잘 봐줬으면 좋겠다..♡〈박다솜 작가〉

안녕히 계세요 여러분!〈박서진 작가〉

이번 기회에 시를 쓸 수 있어서 좋았어요!〈박세은 작가〉

4학년이 좋았는데...한 달 뒤면 5학년이다.〈박지아 작가〉

3학년 때 썼을 때 재밌어서 4학년 때도 썼는데 뿌듯하네여♡
〈박한별 작가〉

배고프다〈서예랑 작가〉

5학년 가즈아!〈서지원 작가〉

파이팅〈손아인 작가〉

재밌는 순간에도 우린 함께인 4-2반〈심지우 작가〉

친구야 많이 읽어줘!〈안성재 작가〉

얘들아, 시 많이 읽어줘!〈양시온 작가〉

제 시를 읽으면 재밌을 거예요〈여태준 작가〉

재미 없어도 열심히 쓴 글이고 또 4-2반이 마지막이니까 글 잘 봐주세요^-^〈오채민 작가〉

재밌을 거예요〈이단우 작가〉

고민하면서 시 씀.〈임예원 작가〉

걍 잘 봐주세요〈정여진 작가〉

마지막 마디

## 보석같이 반짝이고, 빛나는 아이들에게

저는 실개천이 휘돌아 나가는 곳에서 태어나고 자랐습니다. 이곳이 바로 놀이터였습니다. 반짝이는 모래밭에서 예쁜 돌을 주워 물수제비뜨기도 하고 놀았습니다.

그냥 모래밭에 묻혀 있으면 지나치기 쉽지만, 기어코 찾아내는 재미로 열심히 찾아다녔던 어린 날의 제 모습이 떠오릅니다. 그때는 작은 조약돌이 보석보다 더 값지고 반짝이고 예뻤습니다.

「줄기를 뻗는 아이들」에는 우리 학교 4학년, 꽃사랑반, 꽃누리반 어린이 작가님들의 입말과 재치가 살아있는 시를 모아 엮은 시집입니다. 4학년 친구들과 「닝컨시대」를 읽느라 바빠서 차마 시를 쓰지 못해 몹시 아쉬웠는데요. 이렇게 담임선생님과 수업 활동으로 글을 쓰고 책까지 편찬하게 되니 뿌듯하기 그지없습니다. 하마터면 이 좋은 시들이 그냥 사라질 뻔했습니다. 우리 정하은 선생님과 이효선 선생님, 우세영 선생님의 사랑과 수고 덕분에 이 생생한 시들이 빛을 보게 되어 너무 기쁩니다. 어린이 작가님들에게 값진 출판의 경험을 할 수 있게 애써주신 선생님들께 무한히 감사드립니다.

어린이 작가들의 재능을 보석같이 알아보고, 귀하게 여길 줄 알며, 반짝반짝 빛나게 도와주는 선생님을 만난 여러분들도 참 행복하겠습니다. 생활 속에 작은 소재가 시가 되고 노래가 됩니다. 이제 여기 있는 작가님들도 주변의 하나하나 소중하고 귀하게 자세히 살펴볼 것입니다.
우리 어린이 작가님들이 형식과 평가에 얽매이지 않고, 자유로운 시인으로 무럭무럭 자라나기를 간절히 소망합니다. 그리고 진심으로 발간을 축하드립니다.

2023년 겨울
어린이 작가님들의 1호 팬
수석교사 이 창 미

* 이 책은 정하은(4-1 꿈오리반)

우세영(4-2)

이효선(꽃사랑반)

선생님의 헌신과 노고로 소중하게 만들어졌습니다.